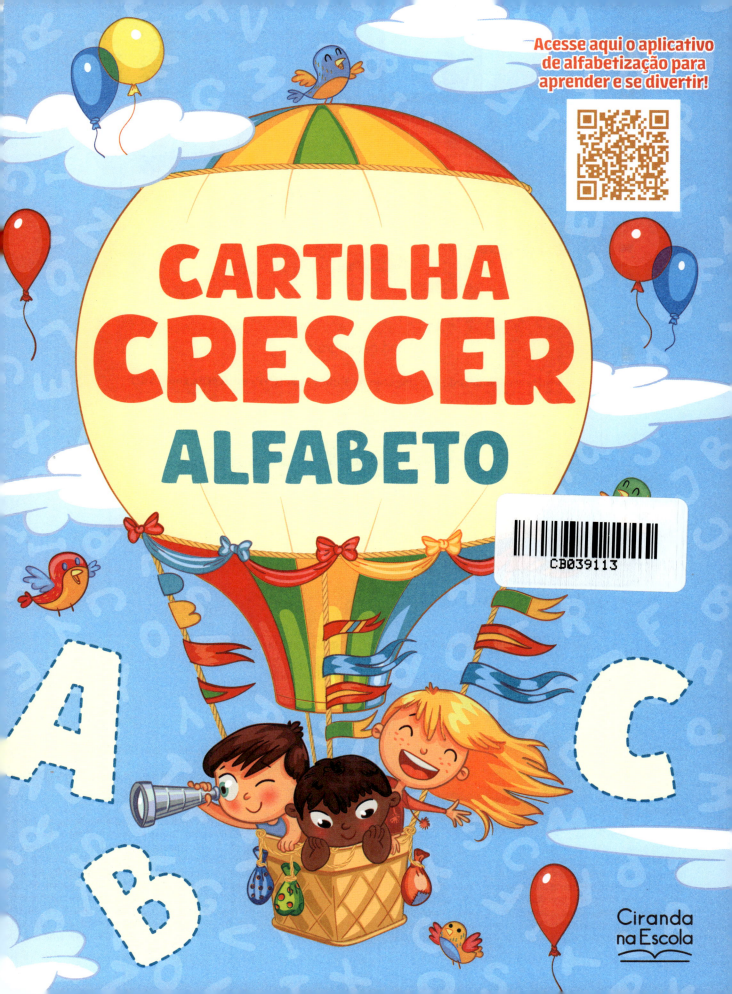

Ficha catalográfica

Dados Internacionais de Catalogação na Publicação (CIP) de acordo com ISBD

C578c   Ciranda Cultural

Cartilha Crescer - Alfabeto / Ciranda Cultural ; ilustrado por Shutterstock. - Jandira, SP : Ciranda na Escola, 2021.
128 p. : il. ; 20,1cm x 26,8cm.

ISBN: 978-65-5500-568-4

1. Literatura infantil. 2. Alfabetização. 3. Aprendizado. 4. Caligrafia. I. Shutterstock. II. Título.

CDD 028.5
CDU 82-93

2020-2934

Elaborada por Odilio Hilario Moreira Junior - CRB-8/9949

Índice para catálogo sistemático:
1. Literatura infantil 028.5
2. Literatura infantil 82-93

© 2021 Ciranda Cultural Editora e Distribuidora Ltda.
Texto: © 2021 Ciranda Cultural
Ilustrações: Shutterstock
Diagramação: Jarbas C. Cerino
Revisão: Ana Paula de Deus Uchoa e Karina Barbosa dos Santos
Produção: Ciranda Cultural

1ª Edição em janeiro de 2021
11ª Impressão em 2025
www.cirandacultural.com.br
Todos os direitos reservados. Nenhuma parte desta publicação pode ser reproduzida, arquivada em sistema de busca ou transmitida por qualquer meio, seja ele eletrônico, fotocópia, gravação ou outros, sem prévia autorização do detentor dos direitos, e não pode circular encadernada ou encapada de maneira distinta daquela em que foi publicada, ou sem que as mesmas condições sejam impostas aos compradores subsequentes.

Este livro foi impresso em fonte Helvetica em janeiro de 2025.

Ciranda na Escola é um selo do Grupo Ciranda Cultural.

Créditos das ilustrações: Shutterstock, capa= Tartila; Sunnydream; Denys Koltovskyi; 2 até 126= Tartila; 5, 7, 20= artkarpova; 8, 9, 10, 11= Sko Helen; 3, 4=View6424; 18, 22, 53= Denys Koltovskyi; 32, 45= Sunnydream; 20, 42, 46, 58= asantosg; 23, 38, 39= Artem Kovalenco; 43= d-e-n-i-s; 42= Reenya; 54, 55, 58, 59, 62, 63, 70, 71, 79, 91, 94, 103= natchapohn; 70= Teguh Mujiono; 30, 31, 43, 44, 56, 84, 87, 88, 90, 92, 94, 122, 123= jehsomwang; 118, 119, 120, 121, 124, 125= Valentyna Melnyk

APRESENTAÇÃO

O PROCESSO DE ALFABETIZAÇÃO

A alfabetização é o processo pelo qual a criança desenvolve as capacidades de ler e escrever, que são ferramentas essenciais para a comunicação, a construção do pensamento e o despertar da criatividade e da imaginação. Além disso, é a base para o desenvolvimento integral do indivíduo ao longo da vida.

Mesmo antes de entender o que são as letras, a criança já pode começar a ser alfabetizada. A compreensão da linguagem, dos sons das palavras e a mera observação das letras já são o começo da trilha em direção à alfabetização. Esse é um movimento que deve começar em casa, mas é na escola, já na Educação Infantil, que irá ganhar novos horizontes.

Ter uma alfabetização de qualidade é direito de todo cidadão. Pessoas que não são alfabetizadas de forma suficiente ficam à margem da sociedade, possuindo menos oportunidades, profissionais ou pessoais, além de não terem acesso a seus direitos. O analfabetismo exclui uma parte da população do acesso às informações mais básicas.

O professor Paulo Freire, em seu artigo "A importância do ato de ler", destaca que é o ato de ler que possibilita ao homem a leitura crítica do mundo. Por isso a alfabetização é tão importante.

COMO UTILIZAR ESTA CARTILHA

A Cartilha Crescer – Alfabeto foi desenvolvida para que crianças no início do processo de alfabetização possam treinar sua coordenação motora fina e sua escrita, além de ensinar o alfabeto. Ela está dividida nas seguintes partes:

Coordenação motora: atividades para contornar traços, formas e desenhos, para que a criança possa aprimorar sua coordenação motora fina.

Alfabeto – Vogais: apresentação das vogais, atividade de contorno e escrita da letra e exercícios com a letra apresentada.

Alfabeto – Consoantes: apresentação das consoantes, atividade de contorno e escrita da letra e exercícios com a letra apresentada.

Atividades lúdicas: após aprender todo o alfabeto, apresentamos algumas atividades lúdicas para fixação do que foi apresentado.

Esperamos que esta cartilha auxilie todas as crianças a crescerem muito em seu processo de aprendizado.

Bons estudos!

CARTILHA CRESCER

VAMOS TREINAR A COORDENAÇÃO MOTORA?
COPIE AS LINHAS, CONTORNANDO OS TRACEJADOS.

COORDENAÇÃO MOTORA

VAMOS TREINAR A COORDENAÇÃO MOTORA?
COPIE AS LINHAS, CONTORNANDO OS TRACEJADOS.

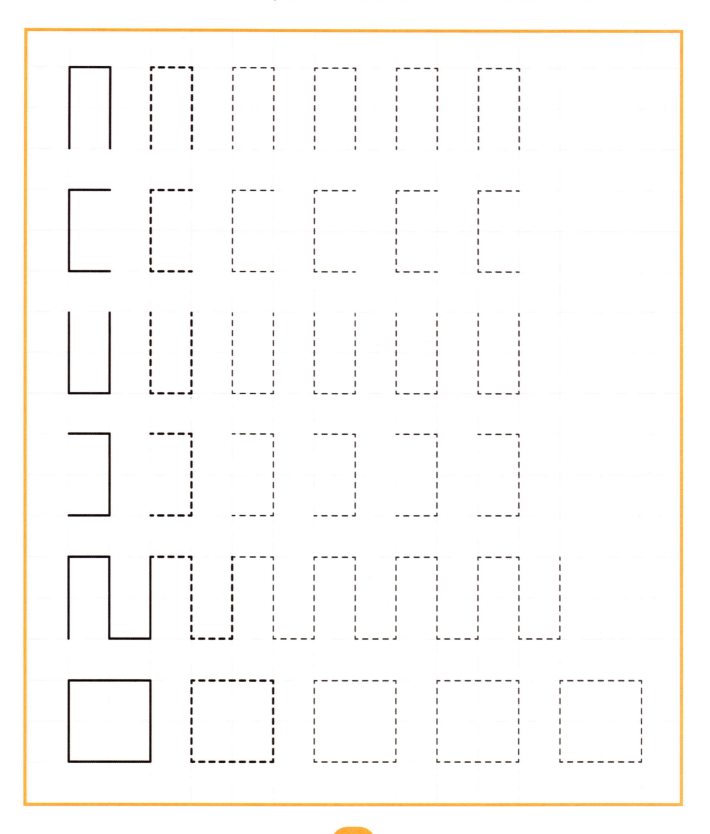

CARTILHA CRESCER

VAMOS TREINAR A COORDENAÇÃO MOTORA?
COPIE AS LINHAS, CONTORNANDO OS TRACEJADOS.

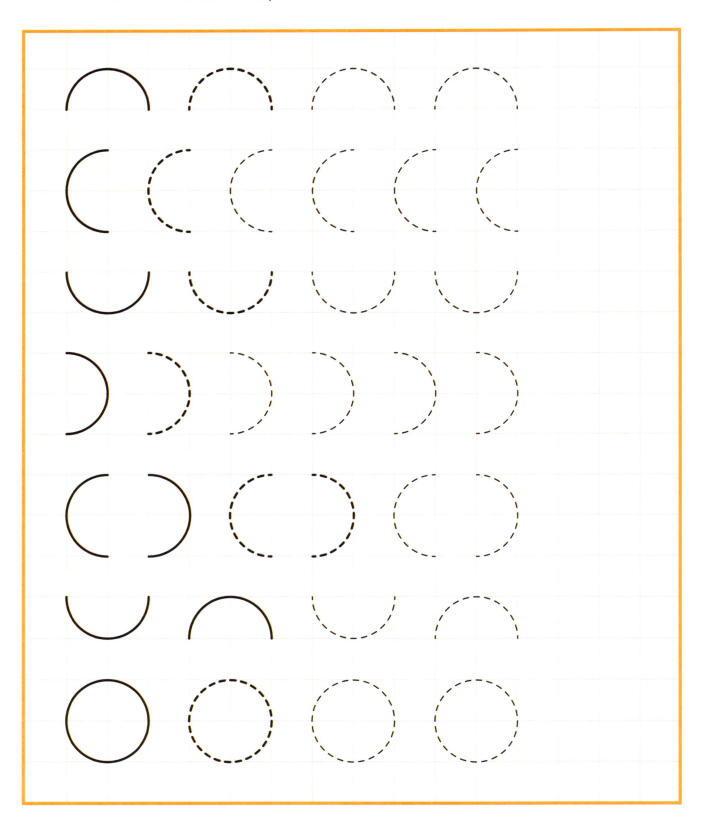

COORDENAÇÃO MOTORA

VAMOS TREINAR A COORDENAÇÃO MOTORA?
COPIE AS LINHAS, CONTORNANDO OS TRACEJADOS.

VOGAIS

VAMOS APRENDER A VOGAL A?

AVIÃO

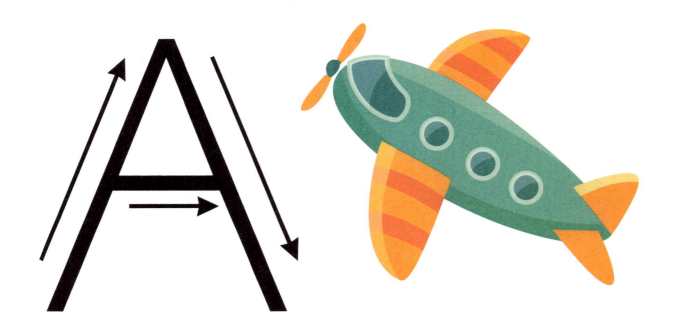

A A A

LETRA

COPIE AS LINHAS, CONTORNANDO OS TRACEJADOS, PARA TREINAR A LETRA A.

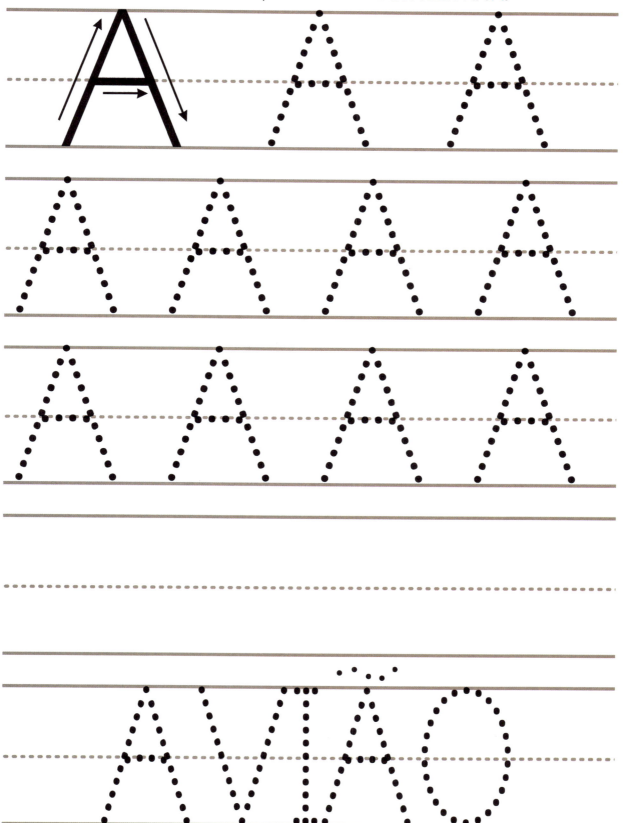

VOGAIS

CIRCULE AS IMAGENS QUE COMEÇAM COM A VOGAL A.

LETRA

LIGUE AS IMAGENS QUE COMEÇAM COM A VOGAL A À LETRA QUE ESTÁ NO CENTRO.

VOGAIS

VAMOS APRENDER A VOGAL E?

ELEFANTE

E E E

LETRA

COPIE AS LINHAS, CONTORNANDO OS TRACEJADOS, PARA TREINAR A LETRA E.

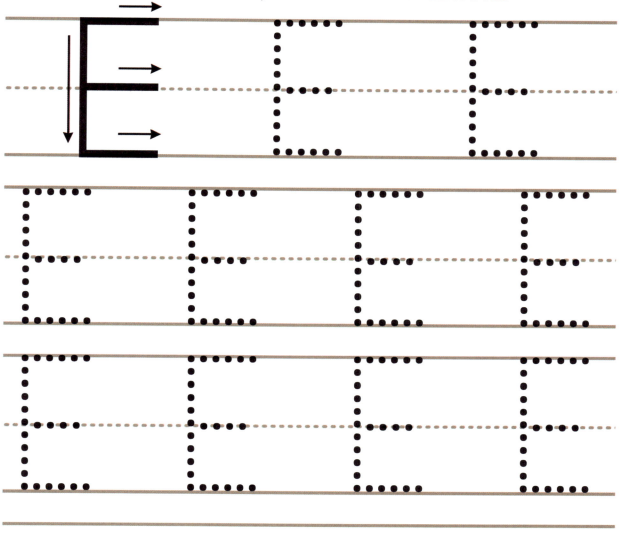

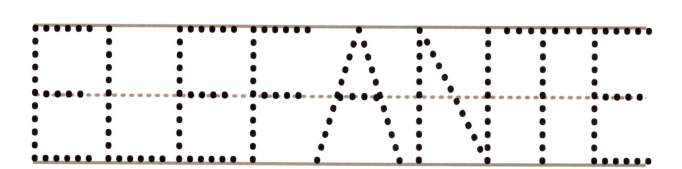

VOGAIS

ASSINALE NO BOX E ESCREVA A VOGAL QUE
ESTÁ FALTANDO EM CADA PALAVRA.

A E I O U
COL__

A E I O U
S__TA

A E I O U
CAS__

A E I O U
CABID__

A E I O U
CAM__LO

A E I O U
CAC__U

A E I O U
B__BÊ

A E I O U
C__GO

LETRA E

CIRCULE, EM CADA QUADRO, A PALAVRA QUE CORRESPONDE AO DESENHO.

COPO
CASA
BALA

CUCA
CAPA
CUIA

OCA
BOLO
CABO

BEBIDA
BALA
BOCA

CAFUNÉ
BICO
BOBO

COLA
CANOA
COCADA

CAVALO
CUBO
CÔCO

CACAU
CAMA
CABELO

CAFÉ
CAJU
BALEIA

CABIDE
CAMELO
BOIA

15

VOGAIS

VAMOS APRENDER A VOGAL I?

INDÍGENA

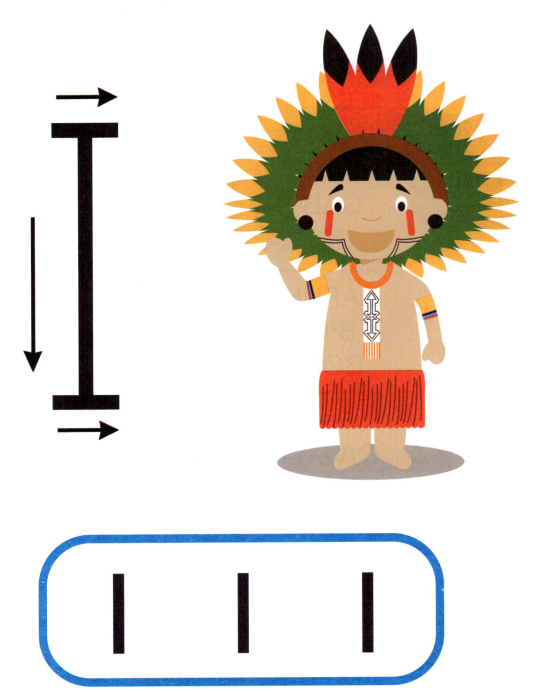

I   I   I

LETRA I

COPIE AS LINHAS, CONTORNANDO OS TRACEJADOS, PARA TREINAR A LETRA I.

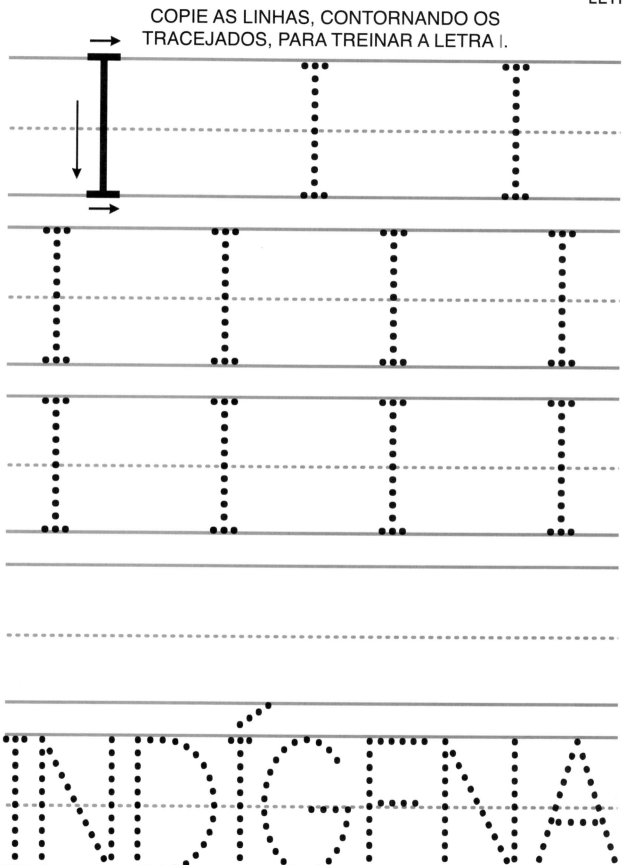

VOGAIS

PINTE OS QUADROS QUE CONTENHAM
PALAVRAS INICIADAS COM A LETRA I.

IARA

ARARA

EMA

ABELHA

ILHA

ANEL

ESCADA

IGREJA

IGLU

ARANHA

ESPADA

ÁRVORE

ALHO

ÍMÃ

ESCOVA

IOIÔ

ANZOL

IOGURTE

ESTOJO

APITO

ISOPOR

ESCOLA

LETRA

OBSERVE OS QUADROS E COMPLETE AS PALAVRAS COM A VOGAL QUE ESTÁ FALTANDO.

G__RAFA

ME__A

P__PA

SAC__

VOGAIS

VAMOS APRENDER A VOGAL O?

OVO

LETRA

COPIE AS LINHAS, CONTORNANDO OS TRACEJADOS, PARA TREINAR A LETRA O.

VOGAIS

IDENTIFIQUE AS PALAVRAS DO QUADRO
NO CAÇA-PALAVRAS E PINTE-AS NA MESMA COR.

BOLA **CUBO**
PATO **FOCA**

```
G A Z P B M
B O L A I O
N A B T X C
B F U O P U
E R D O T B
F O C A A O
```

LETRA O

JUNTE AS SÍLABAS E ESCREVA AS PALAVRAS.

BO+TA

_____

PA+NO

_____

BO+CA

_____

DE+DO

_____

BO+DE

_____

DA+DO

_____

VOGAIS

VAMOS APRENDER A VOGAL U?

UVA

U U U

LETRA U

COPIE AS LINHAS, CONTORNANDO OS TRACEJADOS, PARA TREINAR A LETRA U.

VOGAIS

COMPLETE OS QUADROS COM A LETRA QUE ESTÁ FALTANDO.

PER__

__R__BU

JAB__TI

__NHA

BA__´

LETRA U

LIGUE O NOME À RESPECTIVA IMAGEM.

BULE

TATU

URSO

CAJU

UVA

CORUJA

CONSOANTES

VAMOS APRENDER A LETRA B?

BOLA

B B B

LETRA

COPIE AS LINHAS, CONTORNANDO OS TRACEJADOS, PARA TREINAR A LETRA B.

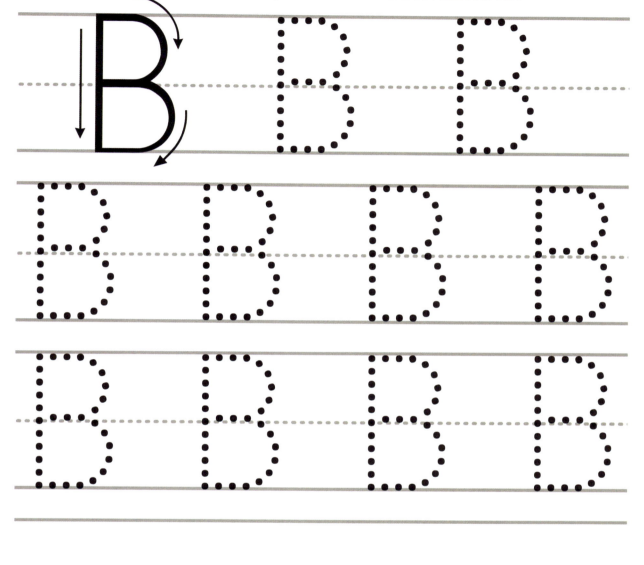

CONSOANTES

COMPLETE AS PALAVRAS COM AS SÍLABAS DO QUADRO.

BA-BE-BI BO-BU

__LE

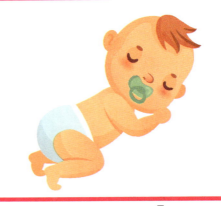

__DE

__BÊ

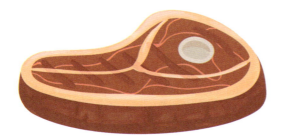

__FE

__RATA

LETRA **B**

LIGUE AS SÍLABAS PARA FORMAR
PALAVRAS. DEPOIS, ESCREVA-AS NAS LINHAS.

BA	LO
BE	BÁ
BI	LA
BO	CO
BU	LE

CONSOANTES

VAMOS APRENDER A LETRA C?

CASA

C C C

32

LETRA C

COPIE AS LINHAS, CONTORNANDO OS TRACEJADOS, PARA TREINAR A LETRA C.

CONSOANTES

COMPLETE AS PALAVRAS COM AS SÍLABAS DO QUADRO.

> CA-CE-CI
> CO-CU

___LA

___MA

___BOLA

___SNE

___BO

LETRA C

LIGUE CADA IMAGEM À PALAVRA CORRESPONDENTE.

CEREJA

CARRO

CACHORRO

ABACATE

COPO

SACI

CISNE

CUECA

35

CONSOANTES

VAMOS APRENDER A LETRA D?

DADO

D   D   D

LETRA

COPIE AS LINHAS, CONTORNANDO OS TRACEJADOS, PARA TREINAR A LETRA D.

37

CONSOANTES

COMPLETE AS PALAVRAS COM AS SÍLABAS DO QUADRO.

DA-DE-DI
DO-DU

___DO

___MA

___´ZIA

___ÁRIO

___IS

38

LETRA D

ENCONTRE E CIRCULE A LETRA D NAS PALAVRAS ABAIXO.

 MOEDA

 CABIDE

 DIA

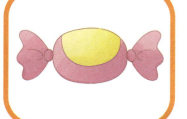 DOCE

 DUDU

CONSOANTES

VAMOS APRENDER A LETRA F?

FOCA

F F F

40

LETRA

COPIE AS LINHAS, CONTORNANDO OS TRACEJADOS, PARA TREINAR A LETRA F.

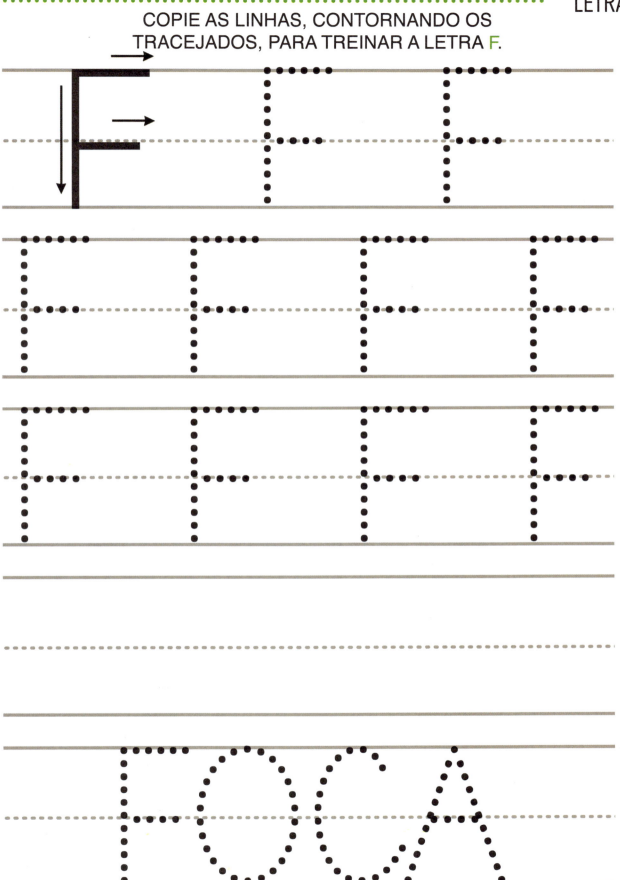

41

CONSOANTES

COMPLETE AS PALAVRAS COM AS SÍLABAS DO QUADRO.

FA-FE-FI FO-FU

___MAÇA

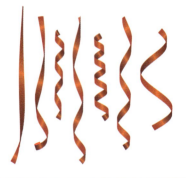

___DA

___TA

___IJÃO

___GÃO

LETRA F

LIGUE AS SÍLABAS PARA FORMAR PALAVRAS.
DEPOIS, ESCREVA-AS NAS LINHAS.

SO	RO
BI	TO
FI	FÁ
FO	FE
FU	GO

_____

_____

_____

_____

CONSOANTES

VAMOS APRENDER A LETRA G?

GATO

G G G

44

LETRA

COPIE AS LINHAS, CONTORNANDO OS TRACEJADOS, PARA TREINAR A LETRA G.

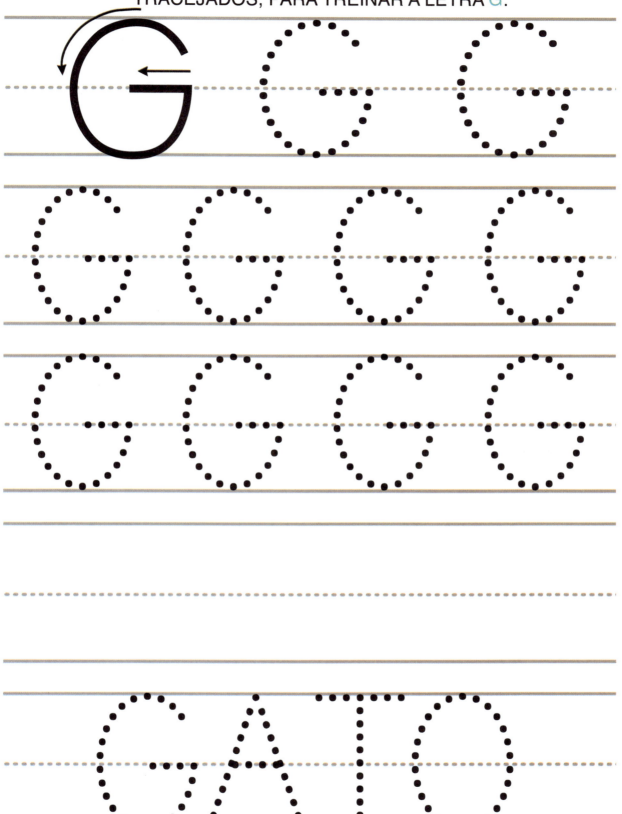

45

CONSOANTES

COMPLETE AS PALAVRAS COM AS SÍLABAS DO QUADRO.

GA-GE-GI GO-GU

___RILA

___TO

___LO

___RAFA

___LO

46

LETRA G

ENCONTRE E CIRCULE A LETRA G NAS PALAVRAS ABAIXO.

 GAVETA

 GELATINA

 GIZ

 GOTA

 COGUMELO

47

CONSOANTES

VAMOS APRENDER A LETRA H?

HORTA

H H H

48

LETRA

COPIE AS LINHAS, CONTORNANDO OS TRACEJADOS, PARA TREINAR A LETRA H.

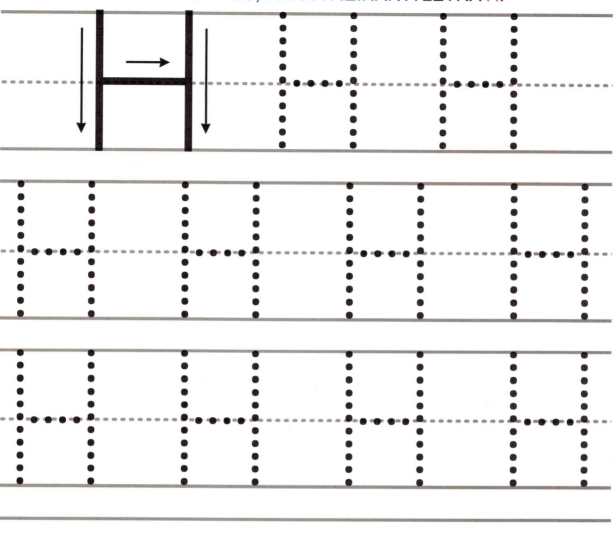

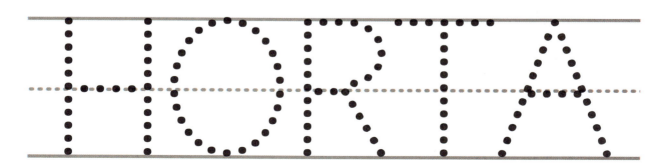

49

CONSOANTES

COMPLETE AS PALAVRAS COM AS SÍLABAS DO QUADRO.

HA-HE-HI HO-HU

__RPA

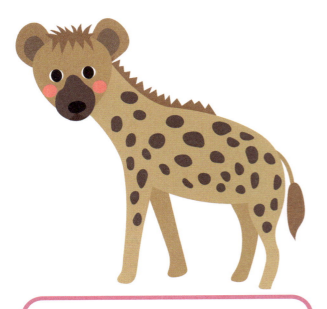

__ENA

__TEL

__´LICE

__GO

50

LETRA

LIGUE AS PALAVRAS ÀS IMAGENS CORRESPONDENTES.

HAMBÚRGUER

HELICÓPTERO

HIPOPÓTAMO

HOSPITAL

HUMANO

CONSOANTES

VAMOS APRENDER A LETRA J?

JACARÉ

J J J

LETRA

COPIE AS LINHAS, CONTORNANDO OS TRACEJADOS, PARA TREINAR A LETRA J.

CONSOANTES

COMPLETE AS PALAVRAS COM AS SÍLABAS DO QUADRO.

JA-JE-JI JO-JU

___BA

___RIMUM

___ANINHA

___BOIA

___BUTI

LETRA J

CIRCULE A FIGURA CORRESPONDENTE À PALAVRA DO QUADRO.

JACARÉ

JEGUE

JIPE

JOGO

JÚLIA

CONSOANTES

VAMOS DESENHAR A LETRA K?

KART

K K K

LETRA K

COPIE AS LINHAS, CONTORNANDO OS TRACEJADOS, PARA TREINAR A LETRA K.

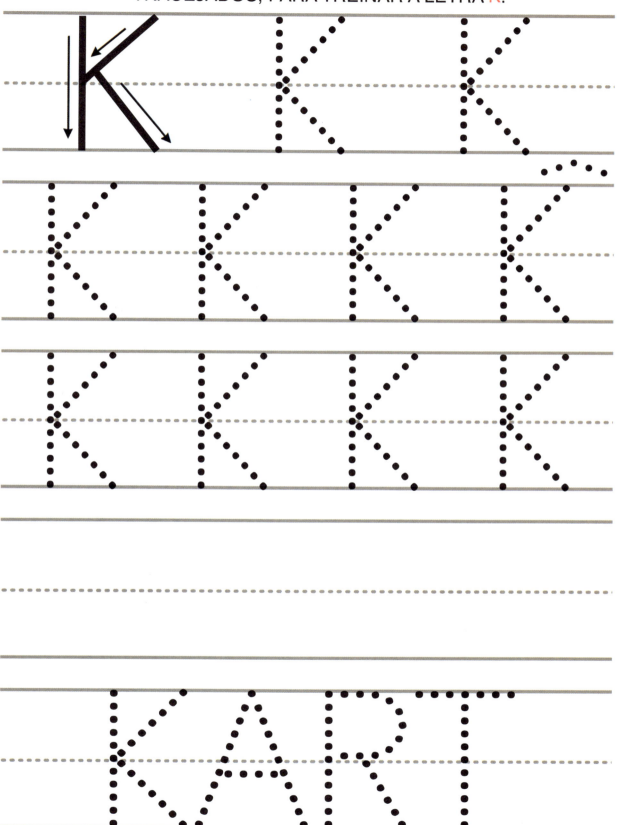

57

CONSOANTES

COMPLETE AS PALAVRAS COM AS SÍLABAS DO QUADRO.

KA-KE-KI KO-KU

___WI

___MBI

___NG FU

___RATE

___LY

58

LETRA K

ENCONTRE E CIRCULE A LETRA K NAS PALAVRAS ABAIXO.

 KOMBI

 KELVIN

 KARAOKE

 COOKIE

 UKULELE

CONSOANTES

VAMOS APRENDER A LETRA L?

LEÃO

L L L

LETRA L

COPIE AS LINHAS, CONTORNANDO OS TRACEJADOS, PARA TREINAR A LETRA L.

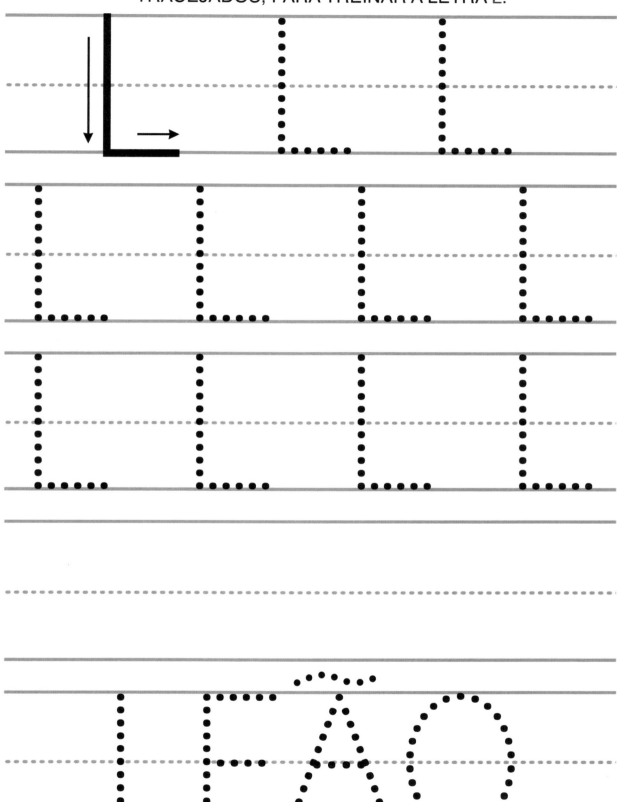

CONSOANTES

COMPLETE AS PALAVRAS COM AS SÍLABAS DO QUADRO.

LA-LE-LI LO-LU

___ITE

___BO

___A

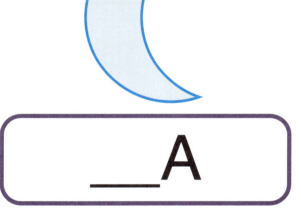

___MÃO

___RANJA

LETRA L

LIGUE AS PALAVRAS ÀS SUAS RESPECTIVAS IMAGENS.

LATA
BALEIA
LIXO
RELÓGIO
LUVA
COALA
BULE
LEÃO

CONSOANTES

VAMOS APRENDER A LETRA M?

MACACO

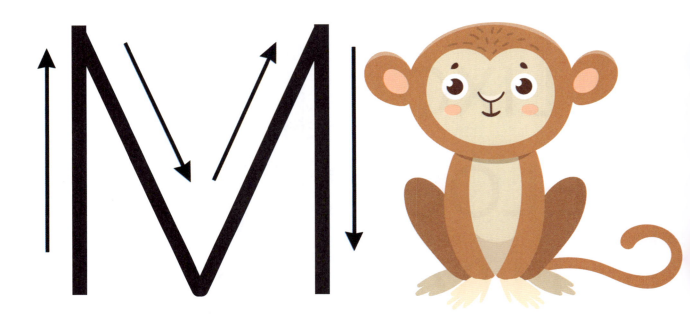

M M M

LETRA

COPIE AS LINHAS, CONTORNANDO OS TRACEJADOS, PARA TREINAR A LETRA M.

CONSOANTES

COMPLETE AS PALAVRAS COM AS SÍLABAS DO QUADRO.

MA-ME-MI MO-MU

___LHO

___IA

___EDA

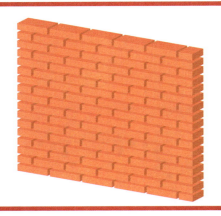

___RO

___CACO

LETRA

COMPLETE AS PALAVRAS COM AS LETRAS QUE FALTAM:

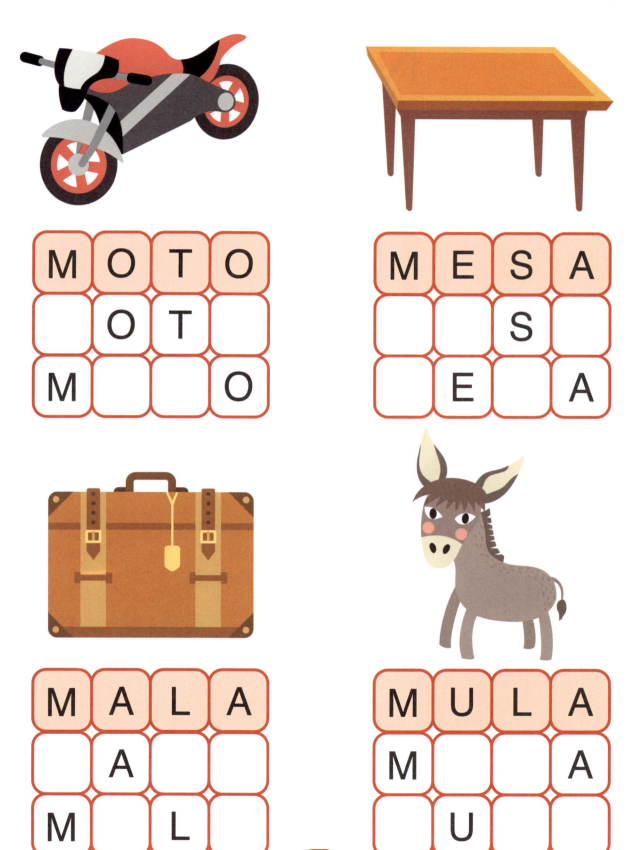

CONSOANTES

VAMOS APRENDER A LETRA N?

NAVIO

N N N

LETRA

COPIE AS LINHAS, CONTORNANDO OS TRACEJADOS, PARA TREINAR A LETRA N.

CONSOANTES

COMPLETE AS PALAVRAS COM AS SÍLABAS DO QUADRO.

NA-NE-NI NO-NU

__VE

__NÉM

__VEM

__NHO

__RIZ

LETRA N

ENCONTRE E CIRCULE A LETRA N NAS PALAVRAS ABAIXO.

 BUZINA

 CISNE

 BANANA

 NOVELO

 NÚMERO

CONSOANTES

VAMOS APRENDER A LETRA P?

PATO

P P P P

72

LETRA P

COPIE AS LINHAS, CONTORNANDO OS TRACEJADOS, PARA TREINAR A LETRA P.

CONSOANTES

COMPLETE AS PALAVRAS COM AS SÍLABAS DO QUADRO.

PA-PE-PI PO-PU

___RCO

___PA

___LGA

___RA

___TO

LETRA

LIGUE AS IMAGENS ÀS RESPECTIVAS SÍLABAS INICIAIS.

CONSOANTES

VAMOS APRENDER A LETRA Q?

QUEIJO

Q Q Q

LETRA

COPIE AS LINHAS, CONTORNANDO OS TRACEJADOS, PARA TREINAR A LETRA Q.

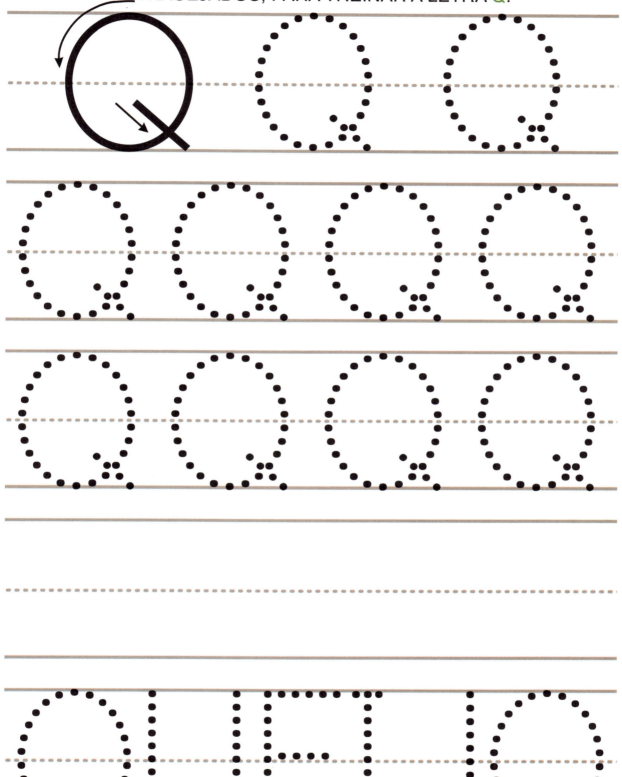

CONSOANTES

IDENTIFIQUE AS PALAVRAS DO QUADRO NO CAÇA-PALAVRAS
E CIRCULE-AS COM A MESMA COR.

**LEQUE QUADRO
QUIABO QUOTA**

L	Q	Q	U	O	T	A	
E	O	L	A	I	O	M	
Q	U	I	A	B	O	X	
U	F	U	O	P	U	T	
E	O	F	O	T	B	Y	
I	T	W	R	E	S	I	
Q	U	A	D	R	O	A	

LETRA Q

COMPLETE AS PALAVRAS COM A LETRA Q.
DEPOIS, LEIA EM VOZ ALTA.

__UENTE

__UADRA

__UINTA

__UEIXO

__UASE

LÍ__UIDO

__UARTA

__UIMONO

CONSOANTES

VAMOS APRENDER A LETRA R?

RATO

R R R

LETRA

COPIE AS LINHAS, CONTORNANDO OS TRACEJADOS, PARA TREINAR A LETRA R.

CONSOANTES

COMPLETE AS PALAVRAS COM AS SÍLABAS DO QUADRO.

RA-RE-RI RO-RU

___POSA

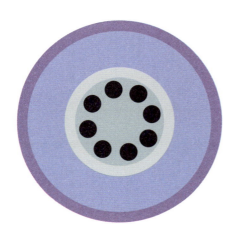

___DA

___O

___I

___A

LETRA R

COMPLETE AS PALAVRAS COM AS LETRAS QUE FALTAM:

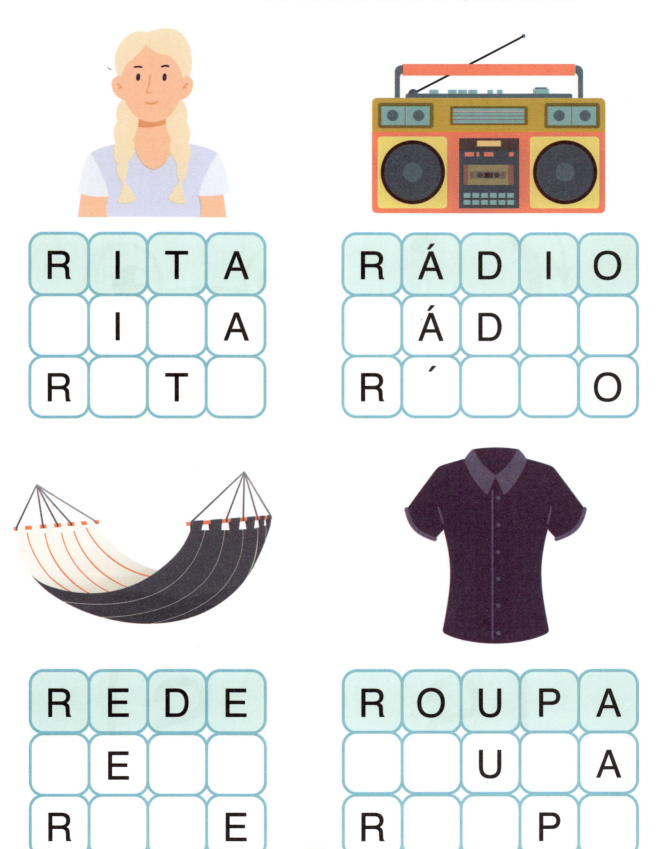

CONSOANTES

VAMOS APRENDER A LETRA S?

SAPO

S S S

LETRA S

COPIE AS LINHAS, CONTORNANDO OS TRACEJADOS, PARA TREINAR A LETRA S.

CONSOANTES

COMPLETE AS PALAVRAS COM AS SÍLABAS DO QUADRO.

SA-SE-SI SO-SU

___IA

___CO

___NO

___L

___LO

LETRA S

LIGUE A PALAVRA À SUA RESPECTIVA IMAGEM.

SAPATO

SUZI

SOFÁ

SIRI

SORVETE

SAL

87

CONSOANTES

VAMOS APRENDER A LETRA T?

TATU

T T T

LETRA

COPIE AS LINHAS, CONTORNANDO OS TRACEJADOS, PARA TREINAR A LETRA T.

CONSOANTES

COMPLETE AS PALAVRAS COM AS SÍLABAS DO QUADRO.

TA-TE-TI
TO-TU

___UCA

___CANO

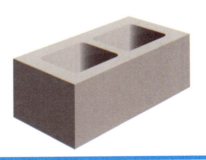

___JOLO

___IA

___TU

LETRA T

LIGUE AS SÍLABAS PARA FORMAR AS PALAVRAS. DEPOIS, ESCREVA-AS.

TA

TE

TI

TO

TU

CA

TO

BO

CO

PA

_____

_____

_____

_____

CONSOANTES

VAMOS APRENDER A LETRA V?

VACA

V V V

92

LETRA V

COPIE AS LINHAS, CONTORNANDO OS TRACEJADOS, PARA TREINAR A LETRA V.

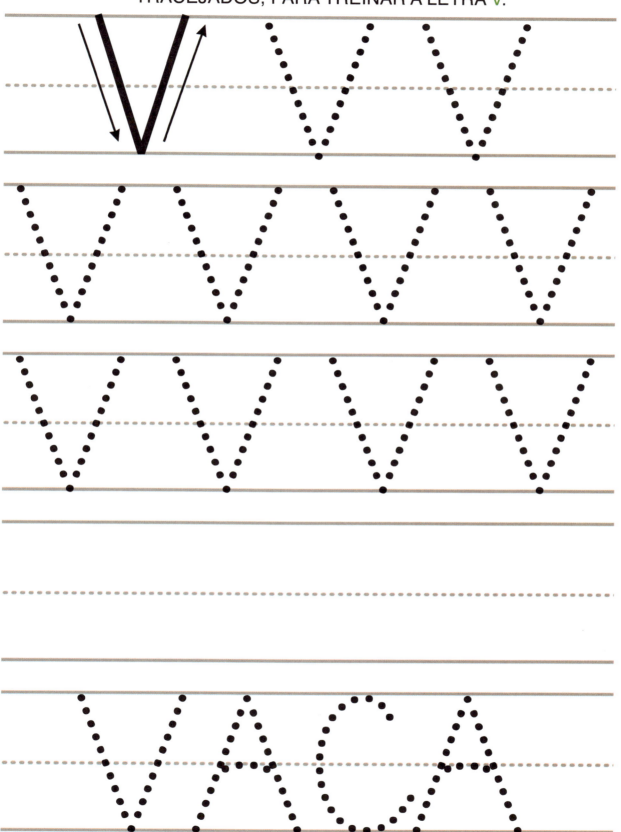

CONSOANTES

COMPLETE AS PALAVRAS COM AS SÍLABAS DO QUADRO.

VA-VE-VI VO-VU

___CA

___LCÃO

___^LEI

___LA

___OLA

LETRA V

PINTE AS FICHAS EM QUE AS PALAVRAS TENHAM AS SÍLABAS VA-VE-VI-VO-VU.

- UVA
- VESTIDO
- GATO
- VIDA
- TATU
- FIVELA
- VIOLETA
- ALFACE
- GAVETA
- RATO
- OVO
- VELEIRO
- COPO
- VÁLVULA
- VARAL
- CUBO

95

CONSOANTES

VAMOS APRENDER A LETRA W?

WAFER

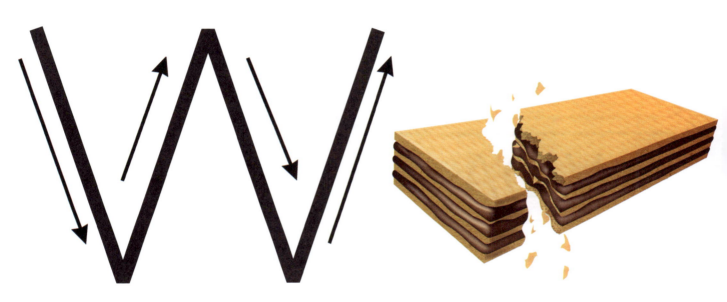

LETRA

COPIE AS LINHAS, CONTORNANDO OS TRACEJADOS, PARA TREINAR A LETRA W.

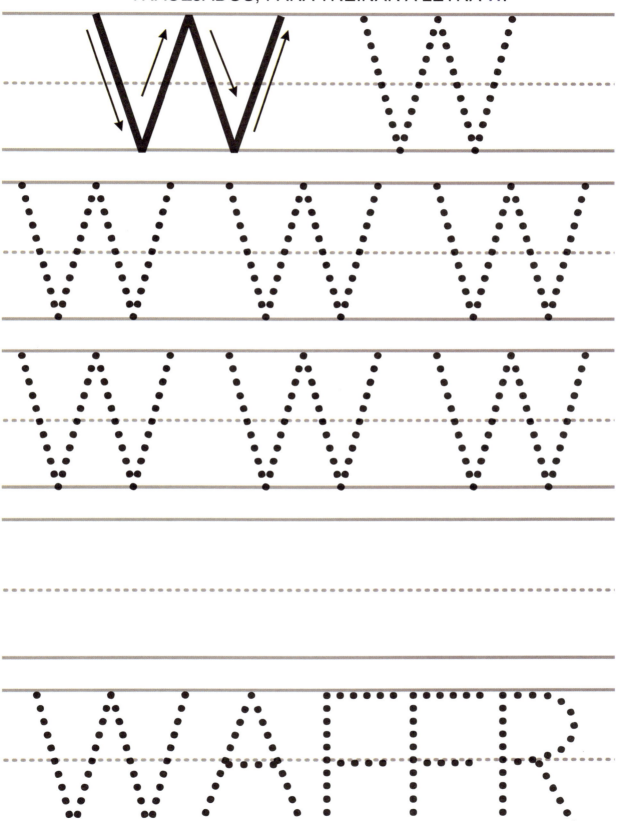

CONSOANTES

COMPLETE AS PALAVRAS COM A LETRA W.

__ILLIAN

__INDSURFE

__AFER

__ESLEY

__I-FI

98

LETRA W

ENCONTRE E CIRCULE A LETRA W NAS PALAVRAS ABAIXO.

 WEBCAM

 WALKMAN

 KIWI

 HALLOWEEN

 SHOW

 CONSOANTES

VAMOS APRENDER A LETRA X?

XALE

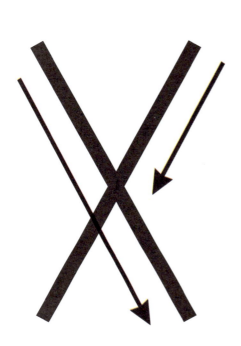

LETRA

COPIE AS LINHAS, CONTORNANDO OS TRACEJADOS, PARA TREINAR A LETRA X.

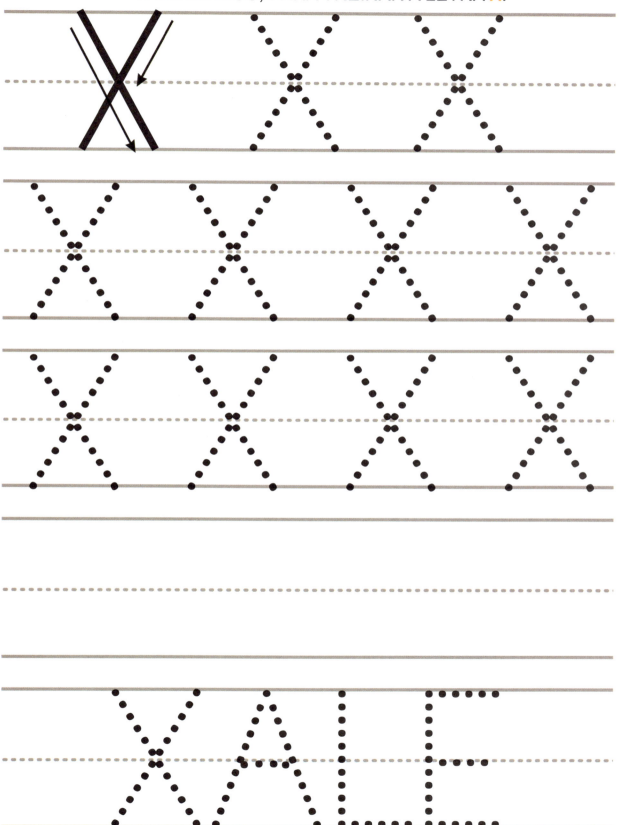

CONSOANTES

COMPLETE AS PALAVRAS COM AS SÍLABAS DO QUADRO.

**XA-XE-XI
XO-XU**

__´CARA

__ROPE

__LOFONE

__RIFE

TE__GO

LETRA X

ENCONTRE E CIRCULE A LETRA X NAS PALAVRAS ABAIXO.

 XADREZ

 ABACAXI

 CAIXA

 ROXO

 COXINHA

103

CONSOANTES

VAMOS APRENDER A LETRA Y?

YAKISOBA

Y Y Y

104

LETRA

COPIE AS LINHAS, CONTORNANDO OS TRACEJADOS, PARA TREINAR A LETRA Y.

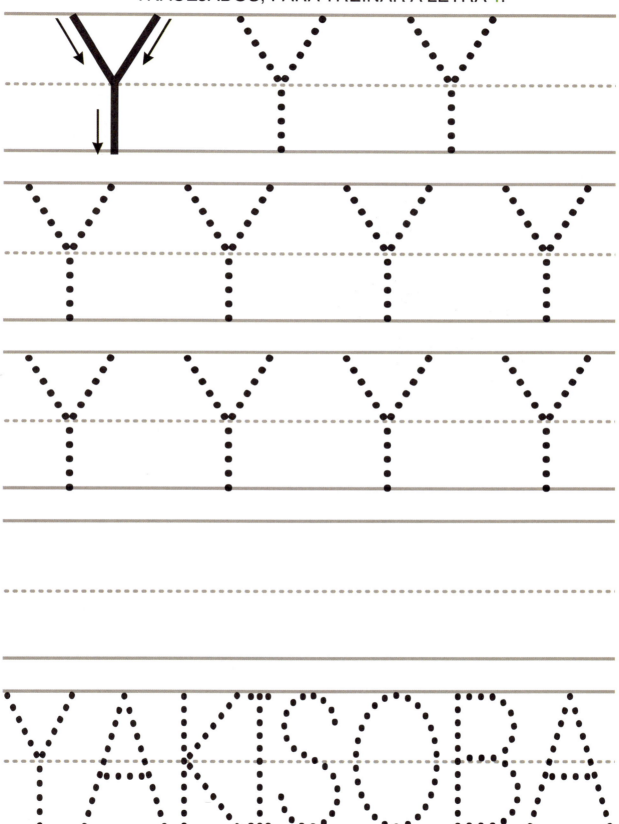

CONSOANTES

COMPLETE AS PALAVRAS COM A LETRA Y.

__ORKSHIRE

__IN- __ANG

__OGA

__URI

__ASMIN

106

LETRA Y

ENCONTRE E CIRCULE A LETRA Y NAS PALAVRAS ABAIXO.

PLAYGROUND

CHANTILLY

MOTOBOY

PITAYA

SPRAY

CONSOANTES

VAMOS APRENDER A LETRA Z?

ZEBRA

Z Z Z

LETRA Z

COPIE AS LINHAS, CONTORNANDO OS TRACEJADOS, PARA TREINAR A LETRA Z.

CONSOANTES

COMPLETE AS PALAVRAS COM AS SÍLABAS DO QUADRO.

ZA-ZE-ZI ZO-ZU

___LEICA

12

BU___NA

DO___

___RRO

___BUMBA

LETRA **Z**

PINTE AS FICHAS EM QUE AS PALAVRAS
TENHAM AS SÍLABAS ZA-ZE-ZI-ZO-ZU.

ZANGÃO	MOLEZA
AZEITONA	ZOOLÓGICO
AZUL	COZIDO
NATUREZA	BEZERRO
ZERO	BATIZADO
ZOADA	VIZINHO
AZEITE	VAZIO
AMIZADE	ZURRO

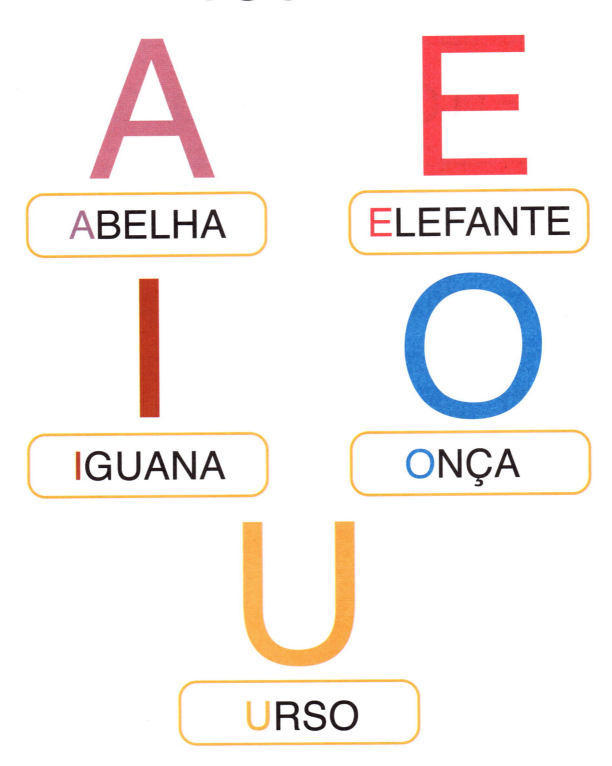

ALFABETO

A B C D E

F G H I J K

L M N O P

Q R S T U

V W X Y Z

CARTILHA CRESCER

CIRCULE, EM CADA LINHA, A(S) IMAGEM(NS) CUJA INICIAL CORRESPONDA À LETRA À ESQUERDA.

G

U

T

L

A

F

ALFABETO

CIRCULE, EM CADA LINHA, A(S) IMAGEM(NS) CUJA INICIAL CORRESPONDA À LETRA À ESQUERDA.

P

S

M

R

J

C

CARTILHA CRESCER

COMPLETE O DESENHO, PINTE E DEPOIS CONTORNE A PALAVRA.

CACHORRO

COORDENAÇÃO MOTORA

COMPLETE O DESENHO, PINTE E DEPOIS CONTORNE A PALAVRA.

PINTINHO

CARTILHA CRESCER

COMPLETE O DESENHO, PINTE E DEPOIS CONTORNE A PALAVRA.

COORDENAÇÃO MOTORA

COMPLETE O DESENHO, PINTE E DEPOIS CONTORNE A PALAVRA.

CARTILHA CRESCER

LIGUE OS PONTOS, PINTE O DESENHO E CONTORNE O NOME DA IMAGEM.

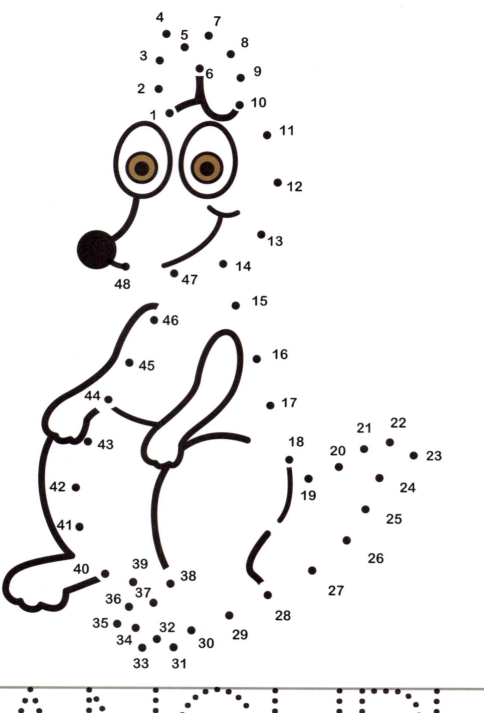

ALFABETO

LIGUE OS PONTOS, PINTE O DESENHO E CONTORNE O NOME DA IMAGEM.

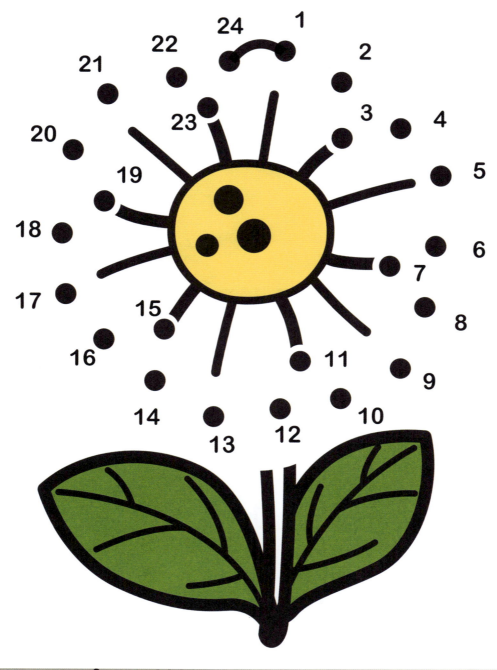

FLOR

CARTILHA CRESCER

COMPLETE AS PALAVRAS COM AS SÍLABAS ABAIXO.

| MA | DE | CI | PO | LU |
| FA | BE | MI | NO | SU |

CA_____

_____LHO

_____DA

_____TE

_____DO

_____VELO

_____BÊ

_____A

_____PÓ

_____CO

122

ALFABETO

COMPLETE O NOME DAS FRUTAS COM AS VOGAIS QUE FALTAM.

M__L__NC__ __

P__R__

M__R__NG__

M__Ç__˜

L__M__˜ __

M__L__˜ __

__V__

__B__C__T__

L__R__NJ__

CARTILHA CRESCER

FORME PALAVRAS SEGUINDO AS SETAS E DEPOIS CIRCULE A PALAVRA CORRESPONDENTE À IMAGEM.

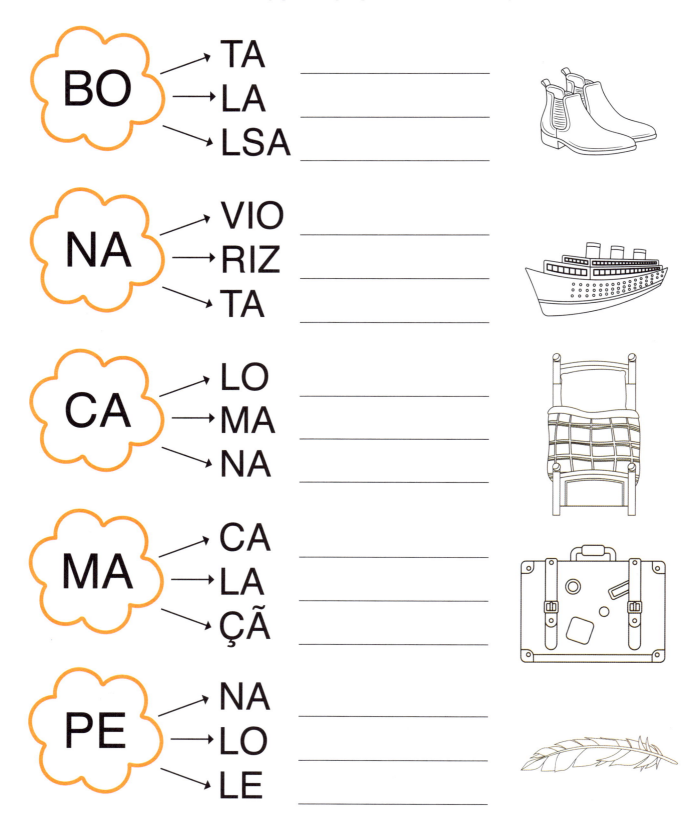

COORDENAÇÃO MOTORA

PROCURE AS PALAVRAS QUE VOCÊ APRENDEU NO CAÇA-PALAVRAS. DEPOIS, PINTE AS IMAGENS.

**ELEFANTE - GATO - HORTA
OVO - SAPO - ZEBRA - VACA**

```
E Q Q U O H A
L O G A T O Z
E U I A B R E
F F U O P T B
A O F O T A R
N T S V A C A
T U A D R O A
E T P R E S I
O V O D R O A
```

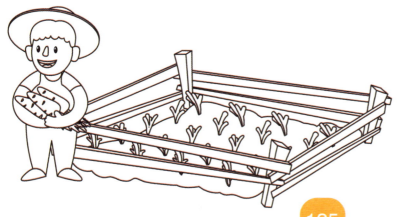

CARTILHA CRESCER

PINTE AS PALAVRAS QUE VOCÊ APRENDEU.

SAPO

BOLA

ZEBRA

ABACAXI

CASA

COORDENAÇÃO MOTORA

FOCA
LEÃO
SOL
LOBO
XALE

CARTILHA CRESCER

Parabéns! Se você chegou até aqui, é porque seguiu as lições e completou todas as atividades propostas neste livro. Este é o momento de comemorar! Preencha o diploma com seu nome, data e assinatura, depois fotografe e compartilhe com seus amigos e familiares!

DIPLOMA

ATESTAMOS QUE

COMPLETOU COM SUCESSO TODAS AS LIÇÕES E ATIVIDADES DE ALFABETIZAÇÃO DESTE LIVRO!

DATA — ASSINATURA

ASSINE, FOTOGRAFE E COMPARTILHE!